THE
RAMPARTS
OF ICE

2

Kocha Agasawa

Contents

Story

고등학교 1학년 히카와 코유키는 중학교 시절의 어느 사건을 계기로 고등학교에서는 누구와도 어울리지 않고 혼자서 지내 왔다. 어느 날, 코유키에게 다른 반 남자아이 아마미야 미나토가 말을 건다. 스스럼없는 성격인 미나토를 경계하는 코유키. 하지만 소꿉친구 아즈미 미키와 미나토의 친구 히노 요우타와 셋이서 함께 공부하고 친해지면서, 코유키는 자신의 '혼자 있고 싶다'는 마음이 점점 변하고 있음을 깨닫는데…?

제14화 | 네 사람

이건….

으음.

……

아~
그럼

히카와 너,
키리노시마
중학교
나왔구나.

무슨
상황
이지?

……

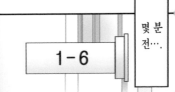

몇 분 전….

엉삼 코용.

아.

살짝…

그럼 미키도 연락하기 편할 테니

우리 단체 방 만들까?

아, 그래.

맞네

ㄷㄱㄹ룩

5반 종례 길어져서 늦는대.

아, 나한테도 연락 왔어.

5반 뺑 말 많으니까…

와.

그거 수락

어떻게 하더라…?

▶▶ 그리고 현재

어디가──?이.이.

으아~~!

'그래서' 여기를 고른 이유도 있는데….

응, 맞아….

미키만 없는 줄 알았어

우리 학교는 키리노시마 출신 거의 없는데.

응…?

왜 여기로 왔어?

왜냐니….

……그냥?

…….

…방금

'벽'을 쳤네.

그렇구나.

…….

아….

8

멀쩡해
보이지만
상처
받았거든.

나도.

…….

그렇구나
….

함부로
넘겨
짚어서…
미안해.

눈치 없는
말을 했네….

미나토는 정말 틈만 나면….

거기까지~♥

꽈아악…

앗, 잠깐, 손에 힘….

……

두웅

HELP

그런데~

……

왜 그렇게 말해?

미나토 말은 대충 흘려들어도 괜찮아.

코융,

14

제15화 | 화살표

그러나
….

넷이서
공부하게
되었다.

하하

왜 미리
공부해 두지
않은 거야…

이번 범위
너무 넓지
않아?

묘한
느낌이네…

시끌

오늘
공부하고
싶었던
과목 공책
깜박해서

시끌

뭔가…

그런데
미나토
왜 다시
왔어?

와! 코융 최고!

그게 좋아

오늘 당분 제공 담당은 코융이네.

하하

착하다~

교마워~

어? 그게 뭐야?

아, 맞다.

오늘 과자 가져왔어….

지난번에 음료수 얻어먹은 보답으로…

오~.

너무해!

나만 모르는 얘기니까 섭섭한데.

기초가 없으면 응용도 못 하지.

거져먹으려 하지 마

풀

그야 어려운 문제를 풀 수 있게 되면

뭐?

간단한 문제는 식은 죽 먹기잖아?

그는 이쪽 문제 A를 먼저 풀 수 있어야 돼.

여기 요우타. 모르겠어.

?? ?!

왜 기초 문제도 모르면서 응용문제를 풀고 있어…?

18

아하하

히히히헷

나는 엄청 진지 하거든?

미안, 미안해.

요우타, 너 아주 배꼽 빠지게 웃는다?

으~앙

그래서 지금 고생하고 있잖아~.

미키 넌 진짜 용케 붙었다.

......

어?

왜 여기로 왔어?

나는 여기도 간신히 들어왔지만

A 고등학교가 농구 더 잘하는데,

그런데

요우타는 A 고등학교도 갈 수 있었지?

…뭐야.

그럼,

나랑 코융은 이쪽으로 갈게.

약력을 보여 줄 때군

오늘은 내가 있으니까!

미키도 조심해.

너 손힘 진짜 세더라….

마음은 고마워

우리끼리 갈 수 있어….

됐어.

안 데려다 줘도 괜찮아?

미나토도!

퍽이나.

요우타, 정말 고마워~!

내일 보자~.

영어 가르쳐 줬잖아

나는?

평소에도 저러지

미키 정말 말이 많네~.

당연히 밥도 먹을 수 없지

맘소사......

좋아 그런데 저녁밥은?

교용~ 역 앞에 있는 다이너마이트 감자튀김 먹고 싶은데 들렀다 갈래?

아~

감자튀김 어쩌구

자쩔

자쩔

BIG

이거 먹고 주민 센터 가려고.

우~ 와~.

응?

요우타, 오늘 어떡할래?

뒤적 뒤적

안녕~

잘 가

음~ 아니야.

고마워.

너 언젠가 몸 망가진다....

우리 집에서 저녁 먹고 갈래?

엄마가 너 오면 좋아하셔

…….

무리 하지 마~.

…정말 사서 고생이네.

개는….

요우타는 그렇게 말했지만…

어려동절…

우연히 만나서 같이 간 것뿐인데.

?

요우타를
좋아…
하나?

음~….

?

……

그 애는
어떨까?

요우타는
관두는 게
좋을 텐데~.

TAPI

POTATO

언제부터
미나토랑
알고 지냈어?

코융은
말이야~….

…….

……?

27

제16화 | 거리

늦잠 잤다….

지각은 아니니까 괜찮지만

아무도 등교하지 않을 시간에 오고 싶었는데.

하다못해 30분 더 일찍….

시험 기간 이른 아침,

언제나 사람들로 꽉 찼던 통학로가 조용해지는 그 느낌이

조~용…

안녕~

난 오늘

너무 빨리 왔나~? 싶었는데.

기특하네.

히카와, 맨날 이 시간에 와?

묘하게 좋단 말이지….

앗!

뭐?

방금 뭐라고 한 거지?

이가 라시?

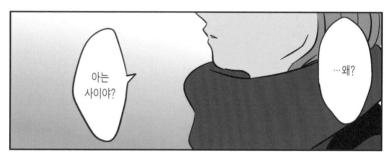

아는 사이야?

…왜?

이름 말하면 알려나?

아니.

친했어?

그때 알게 됐어.

우리 축구부가 가끔 N고 가서 합동 연습을 하는데,

아, 나 축구부거든

접점이 전혀 없었으니까…

이름 말해 봤자 모를걸.

만나도 모르려나?

그럼 이번에 N고 애들 우리 학교에 오는데

?!

선잭 실패… 확교

…….

그래?

음

언제?

시험 마지막 날 오후에.

아~~.

무조건 일찍 집에 가자.

굳이
물어보는
이유가
뭐지?

아마미야는
이가라시랑
친한가…?

그런데.

안 되겠다
….

……

적어도
출신 학교
이야기를
할 정도는…

뭐라고
말하는지
귀에 하나도
안 들어와.

그럼,

이따 보자~.

......

......

하아~....

보아 하니…

겁먹지 않고 아무한테나 말할 수 있는 성격이겠네
....

스스럼 없이 다가가서
....

미키가 저 아이를…?

아니, 아직 아무런 확증도 없지만.

......

그때
분위기가…

별로
좋게 생각하지
않는
눈치였고….

미키는
대놓고

내가
아마미야와
접점이 있는 걸
신경 쓰고 있었어.

나는
평온하게
살고
싶어…

후우~…

아, 그런데
넷에서
공부하기로
했지…

이가라시와
연결 고리가
있다는 점도
무섭고.

조금
거리를 두는 게
좋을지도
모르겠네….

교무실은
몸 녹이러
오는 곳이
아니야!!

고양이도
아니고

교무실이
따뜻해서
….

…….

점심시간
정도는
좀 놀아라~.

히카와~.

공부도
좋지만
…

교무실

내 말이
~.

저 학생
자주
오네요~.

후우~.

…….

이렇게~
되니까
그런
거지!!!

여기는
이렇게~

아하…

못
말려~

알았으면
석 교실로
돌아가

칫

훠이

히카와가
다른 학생이랑
어울려 다니는
모습을
본 적이
없어서…

어떤 학생
이셨길래.

적어도
나는
그랬는데…

교무실은
가능한 한
오고 싶지 않은
곳이라고…

걱정이야….

안 좋은
기억밖에
없어

그런
여고생이
어딨어?!

어른이랑
말하는 게
더 편한가
보죠.

하지만
선생님
과는

'교사'와
'학생'이라는
일정한 거리가
있잖아요.

학교는

무리 지어
몰려다니는 거
성가시잖아요.

여자는
아니지만

제가

그랬거든요.

인간
관계가.

벽

'선을 넘지 않는
타인'임을
알기에 더더욱

카페 주인이나
여행지 숙소
아줌마니 같은

거리

편한 거
아닐까요?

……

맞죠?

'맞죠?'
는
무슨

그래요.

아니,
모르겠어.

쌤,
뭔 일
있었어?

그런 가치관을
강요하면
상처 받는 사람도
있어요….

……

10대는
순식간에
지나간
다고!!!!

나는
여기 애들 모두
사이좋게
청춘을 보냈으면
좋겠어!

어디 보자….

…이 정도면 오늘 수업. 되나?

물감 스케치북 세트랑 ….

주섬

선택 과목 : 미술

하하 하

와

흰색 물감 참, 조금밖에 안 남았는데 ….

고 생만 금방 떨어져…

응?

빼꼼

역시나…

아.

아마미야다…

거리
거리…

아니,
지금 주위에
친구
(모르는
사람들)가
잔뜩 있으니

내가
있는지는
모르겠지.

괜찮아,
괜찮아.

무시는
아니야

거리….

Remind

왜
무시해~

되살아나는 기억

충격이야~….

……

아니, 이쪽을 뚫어져라 쳐다보고 있잖아….

그냥 지나쳐….

이대로 들키지 않게…

!

아, 안녕…

……

가벼운 인사로 잽싸게 때우기 전법

와~~ 너무 눈에 띄게 흔들잖아.

안녕

아.

또 혼자….

……

고마워
~.

아니
….

아,
그래?
미술 쪽은
뭐 해?
유화?

그쪽
방면은
하나도
모르지만

다음 수업
미술이라…
준비물….

그
주머니
뭐야?

!

지금은
아크릴화….

미키.

그래서, 그 평균 낮은 시험에서 요우타는 몇 점이었어?

대답해.

......

아니… 잡생각을 떨쳐 버리려고….

대놓고 말을 돌리네.

코유, 오늘 집중력 엄청나구나.

뭔 소리야.

......

응… 잡생각 투성이야

잡생각이 있어?

54

역시 달라.

...음.

히카와,
너...

남자 친구
있어?

없…

는데…

빤

아니,

응?

뜬금없이

뭐야????

이런 걸
왜 묻는
거지….

뭐지…?

음~
그렇구나.

코융은

건드리지
마.

그런
거야?

어?

······

......

소꿉친구
조차….

다른 사람의
마음을
전혀
읽을 줄
모르는데.

어떡
하지?

나는….

무표정.

이게
도대체
무슨 표정
이야…?

…내가

단것 좀
사 올게~.

뚤
컹

야.

미나토 넌
알아서.

…그러니까,

잠깐
자판기
다녀와야
겠다.

코융이랑
요우타 몫까지
사 올게~.

내 건?

너도 와.

금방 올게~.

에이~ 뭐, 좋아.

......

…아.

내가
낼게.

히카와
몫까지
내고 싶어.

!

왜?

…….

지난번에
여기서
히카와한테
말 걸어서
놀라게 한
바람에

실수로
엄청 이상한 거
누르게 했거든.

지금
생각났어.

···미나토,
너

코융을 어떻게 생각해?

뭐?

제18화 | 만남

성적보장 S학원

중3 때,

내 수준보다
훨씬 높은
학교를
지망하면서

다른 지역
학원에
다니기
시작했다.

아~~.

알고는
있었지만….

미키
AGE 15

벌써
자기들끼리
똘똘
뭉쳤네….

모르는
애들만
있잖아….

예날부터
같이 다니던
애들인가…

너무
무서운
두 개가
겹쳤어.

'여자',

'무리',

말을
걸….

…아냐,
관두자.

그도
그럴 게

추우욱~

아무리
겉으로
친하게
지내도,

사진
찌을게

동아리
완전
별로야.

얼마나 더
기다려야
오픈을
하려나?

드디어
지옥에서
벗어났어.

하야~,

내가
없을 때만

내 험담을
하잖아?

혼자만
분위기가
달라.

그런데
무서워서
말을
못 하겠어.

너무
정색해

......

훌쩍...

이 정도면
트라우마...

아아...

생각
하니까
눈물
나....

저기,

외롭다
...

아....

혼자 가?

역까지 같이 갈래?

응!

활짝

친구가 늘어나네~

그래~♪

아마 그 반도 지금 끝났을 거야

아.

특별 진학반 친구랑 같이 가도 돼?

애야.

야~ 집에 가자~!

미안, 아. 금방 갈게.

이름은 요우타.

두등

크다...!

나도 반에서는 큰 편인데...

...그 말 자주 들어~.

...정말 동갑이야?

하하하

앗,
야마시타
잘 가~

......

삼 각 김 밥 1

학교에서도
그래.

미나토는
늘 누군가랑
얘기하고
있더라.

그렇구나
~....

...좋겠다.

......

아.

정말
이네.

미나토,
전화.

......

여보세요?
왜?

응~
맨날 오는
편의점.

응.
지금
학원
끝났어.

아니,
무슨
걱정?

친구니까
안심해.

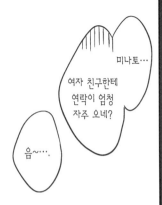

미나토…

여자 친구한테 연락이 엄청 자주 오네?

음~….

……

끊는다~.

으아아…

나밖에 없으니까.

뭐, 걔한테는

무덤덤

하긴

목을 매긴 하지.

필터가 없네.

돌직구

~♪

쏘군

있잖아.

미나토 여자 친구는…

걸핏하면 맨날 뭔가… …..

송 막히게…

응?

......

그 말은
...

미나토는
상대방을

좋아하지
않았다는 뜻
아닌가…?

…미나토,
너

코융을
어떻게
생각해?

뭐?

왜 챙기는 거야?

바꿔 말할게.

어떻게 생각 하냐니 …?

아… 아냐 ….

미안해.

어쩌다 봤는데…

우리 학교에 흔치 않은 유형인 것 같아서 얼굴을 외웠거든.

듣는 수업은 다르니까 접점은 없었지만

왜기는….

…어?

그래서….

볼 때마다

아

괜히
마음에
걸려서

또 혼자….

그 아이가…

줄곧
생각했다.

딱하고
불쌍해서….

……

미나토.

그건
엄청난
오만이야.

미나토,
너는 언제나
혼자 있는 사람이
'불쌍하다'고
말을 거는데,

친구가
멋대로 날
불쌍한
사람으로
만들고…

'동정하고 있다는
사실'을
알아차렸을 때
얼마나
허무한지
알아…?

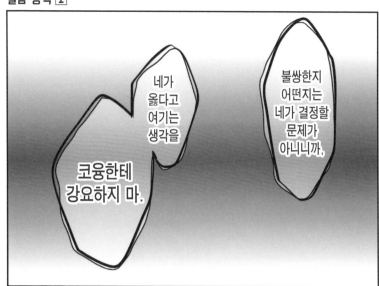

네가
옳다고
여기는
생각을

불쌍한지
어떤지는
네가 결정할
문제가
아니니까,

코융한테
강요하지 마.

……

…확실히
그랬어.

실제로
겪어 보니
아니었고….

히카와가

처음에는
늘 혼자
있어서
불쌍했는데

하지만
처음뿐이야.

지금은…

'상처 받지
않았으면
좋겠어'가

아니라…?

더 이상
코융한테
상처 주고
싶지 않아.

나는…

근데…

설마 싶기는
하지만,

히카와가

그 농구부
아이야?

나는 도저히 안 됐거든.

농구부였을 때 공을 이렇게 잡는 애들이 부러웠는데,

하긴 쿄용 손으로는….

어? 농구부?

씨름 선수 손 모양 같아.

전혀 달라.

웬 씨름 선수?

좋겠다~.

그래?

아, 말해 봤자

쿄용 농구부 였어?

말을 하지!

나는 너랑 달리 영….

중간에
그만둬서….

이제
아예
못 해

어라…?

…….

'동정받은
사실을 알고
허무했다'고
했는데,

방금
전에

삐질
삐질

어~ 아~ 그건….

미안해.

아.

포꼼

혹시 학원에서 혼자인 네가 불쌍해서 내가 말을 건 줄 알았어?

동정심 때문일 수도 있었겠다.

혼자 따분해 보이길래 신경이 쓰여서 말을 걸었으니까….

!

그런데
친구가
되고 나서

너를
안쓰럽게 본 적은
한 번도 없어.

너와
친구가
되고

나는 아주
즐거웠거든….

요우타랑
셋이서

네가
그런 일로
고민하고
꿈에도 있는지
몰랐어.

서운하게
해서

미안해.

질쯧…

……

미나토….

···뭐야,

난 또···.

사실

미나토와
대등한 친구가
되고 싶었던
걸지도
모른다.

나는 줄곧

정말
어린애
구나.

아~~.

창피해

휴식

아.

그렇게~
지금 카카오
심고 있나?

꽤 오래
걸리네.

둘이…
마실 거
사러 간 거
맞지?

거기서
부터야?

미키,
무슨
일이길래…

미안!
오래
기다렸지~.

……

역시
무슨 일이
있었나…?

미키…

제20화 | 불가침

......

음료수 사러 갔을 때,

아마미야랑 무슨 일 있었어…?

응?

미키…

물어봐도 되나?

저기

코웅한테 쓸데없이 접근하지

코웅에게

고작 그런 이유로

이러쿵 저러쿵…

불쌍한지 어떤지 네가 결정할 문제가 아니니

네가 옳다고 여기는 생각을

코웅은 너 같은 거 안 좋아할걸

코웅한테 강요하지 마.

......

아, 음…

네가
카레 음료수
뽑았던
얘기했어.

왜?

지난번에
자기 때문에
잘못
눌렀다고

오늘
미나토가
돈 냈어.

본인은
아무 말도
안 했지만

어?!
신경 안 써도
되는데….

……
…그런데,

울 요소는
없지 않나…?

Why…?

족보야
고마워…

정말
그대로
나왔네….

시험
첫날.

시험공부
기간이
끝나고…

(미키한테)
끌려다니기
바빴던

미키

시작부터 좋고~~

이 문제,

애들이랑
공부했던
내용이다!!

후

105

됐어
…!

이번에는
할 수
있다…!!

이틀째.

아.

메시지
왔다.

알랑이
잔뜩…

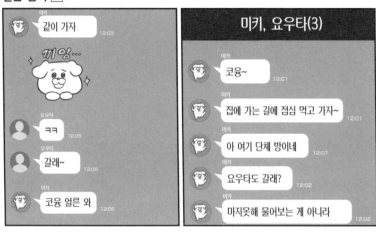

미키는
아직
교실에
있나?

**미키가
부른 건데**

어쩌다 보니
우리가
먼저 만났네.

어라~?

1-6

볼일
있어?

벌써
내려갔어.

어?
그래?

아니.

코융이랑
요우타랑
점심 먹으러
가려고….

아,
미나토

요우타는?

사찰?

미키,
뭐 해?

아, 응….

근무일은 적지만.

히카와는 알바 같은 거 해?

동아리 안 들었지?

근처 사는 어르신들만 오는 작은 가게야…

단골

동네 음식점….

무슨 알바?

미나토 제발…

음….

뭐 하더라 …?

알바 안 하는 날엔 뭐 해?

어…?

114

......

저기~
분위기
파악 좀
하자?

너 별나다~.

이상해.

그래?

......

에이~
아깝다.

부름

멍하니 있는
날이 많아….

......

아무것도
안 해….

......

하하.

코용은
나랑 노느라
바빠!!

그러세요?

115

잘 먹었습니다

그런데
우리끼리만
틀린 그림 찾기에
정신 팔려 있으면
히카와는
지루하잖아.

……!!!!
(그러네)

안
그래?

헉

따로 계산해
드릴까요?

네

엥

야

미나토,
너 뭐야?

쓸데없이
접근하지
말라고!!

내가
말했지
?!

그때와는
다른데,

내 이야기를
하는 것이

아직도
서투르다.

싫지는
않다.

그러나

내 속마음을
들킬까 봐
무섭다.

더 이상
내 자신이
싫어지지
않도록

'나'를
부정당하지
않도록

누군가
다가오면

거리를
두고 만다.

평범한
삶이란
뭘까…?

으～음….

땡
ㅡ
동

땡
ㅡ
동

끝났다ㅡ

시험
마지막 날.

성
큼

성
큼

왜 다들
남 얘기 하는 걸
좋아할까?

타츠 선배
어디 고
글쎄— 갔더라?

앗, 그럼
같아탄
건가?

걔
타츠 선배
무리에
있던데…

있는 사실
없는
사실을
퍼뜨리는
사람.

야~

너희
어디까지
갔냐?

무시
하지
마

······

너 이가라시랑 사귀어?

코유키.

정보 수집만을 위해 다가오는 사람.

뜬금없이 무슨 소리지?

말 섞은 적도 거의 없는데….

…어?

뭐?

아, 그러고 보니 유이시로 씨네 남편이 집을 나갔대요

솔직히 그 집안은 유난스럽다고 할지…

어머

소문.

재미.

그 이야기 들었어?

…왜?

소름
끼친다고,

모든 것을
끊을 수
있다면,

누구도
나를
볼 수 없게
된다면,

편해질 수
있을까?

땡~동
땡~동
땡~동
땡~동

메스꺼워…

……

드디어
끝났다

아~

속이…
안 좋아….

시험은
간신히
마쳤지만…

어머,
스트
레스?

위가
아파요
….

뭐
이상한 건
안 먹었고?

오늘은
아직
아무것도
안 먹었
어요….

보건실

너 또
놀러
왔구나….

쌤….

아니에요,
오늘은
진짜예요….

Help

127

먹는 약은 처방 못 해

위장약…

너 지금부터 무리해서 공부했다가는 대학 가기 전에 골로 가.

빈속에 카페인 ✕

그거야.

…아, 근데 커피는 세 잔 마셨어요.

으음…

배부른 소리 하지 말고.

…교복 입고 이불속에 들어오니 불편하네.

나아질 때까지 눈 좀 붙이렴.

……

새근…

(2.5초)

……

어?

중학교 동창이 저기에…

미안… 먼저들 가!

알았어~

이가라시???

왜 우리 학교에?!

아까 뭐야...

시끄러워!!

춥네?

너 분위기 몰라보게 바뀌었다…?

고릴라, 약 먹었냐?

안 어울려

소름

그나저나 너 메이텐 이었냐?

합동~ 연습~!!!

동아리 때문에.

뭐?

왜 여기 있어?

코융이 이 학교인지는 모르나…?

…….

날마다 이 먼 거리를 다니는 사람은

너밖에 없지?

힘들지도 않냐?

132

간다.

앗,
미안
….

아.

야,
이가라시
~.
뭐 하고
있어?

쳇

눈이
삐었냐?

재
누구야?

끝내주게
귀여운데?

……

아.

커튼 쳐져 있었구나.

고마워요 노리코 쌤…

벌

어두워 …?!

지금 몇 시지?

떡

촤악

밖은 밝으니까,

아직 그렇게 늦은 시간은….

(불경) 앗

깜짝

파

히카와, 뭐 하니?

괜찮아요…

몸은 괜찮니?

어,

그게….

네…

집에 갈 수 있겠어?

둘

둘

둘

너무나 수상한 자세

제대로
듣지는
못했지만

미키
이야기를
했어….

들키지
않게

얼른
집에 가자.

문까지
초고속
전진…!

139

미키 얘기를 하다가…

하지는 않겠지…?

내 말이 나오거나

이카라시 알아?

다른 사람에게 관심 많음

…하고도 남지.

쉬는 날 뭐 해?

무슨 알바?

아마미야가 내 얘기를…

…꺼내려나?

나한테 관심 갖지 않았으면 좋겠어.

…싫어.

나를

몰랐으면
좋겠어.

아.

그러고 보니
이가라시 너,

오늘 학교에 이가라시가 있었는데…!

코융!

그건 아닌데.

앗, 혹시 마주쳤어?

응. 알아….

미나토~!!!!

무슨 짓이야

아마미야 한테

오늘 이가라시가 온다는 얘기를 들어서….

시험지만 돌려주고 끝이니까 편하겠네….

오늘 수업은

안녕~

흠

이 목소리는…

아, 히카와.

아마미야 …

……

안녕—

후끈

후끈

?

후끈 후끈 하네…

뭔가

아, 방금 전에 아침 연습 끝났거든.

모락

지각할 만한 시간은 아니지 않아…?

아마미야…

뛰어왔어…?

추우면 김 나잖아

모락

'아침 연습'

오랜만에 듣는 단어…

어제 연습도 추워서… 아, 참.

146

그러고 보니 어제 이가라시 왔…

흠

첫

……

…었는데….

혁

너는 관심 없겠다.

…어, 뭐지?

이 분위기.

별로 안 친하지?

뭐…

…….

이가라시는

중학교 때 많이 튀는 편이었어?

언제나 무리 중심에서

사람들한테 둘러싸여 있었다….

그랬던 것 같아….

……?

신나게 즐기자….

내년에 행사도 잔뜩 있으니

고등학교 에서

새로운 추억도 늘어날 테고…

중학교 때 있었던 이야기는

아마미야한테 한 적 없어.

…그런데

갑자기 왜…?

…왜?

아.

코유….

하아~.

찬 공기 상쾌하다.

후끈

후끈

요우타 웃 너무 얇게 입었잖아

왜
남의 뒤를
캐고 다녀?

......

수욱

타닷...

......

뭔데 왜,
?

방금....

...미나토

노리코
쌤….

못
말려ー

너 또 점심을
빵 쪼가리로
때우니?

명하니 시원한 곳이랑 따뜻한 곳만 찾는 느낌 이없 는데...

여름 더워...

겨울 추워...

코유키 in 보건실

히카와 너도 화나는 일이 있니?

뭐?

화내지 않고 버틸 수 있는 방법이 있나요?

있죠...

남한테 후련해 화를 질 수 내서 있으면 좋겠지만 ...

음—!...

뭐... 누구나 화나는 일 정도는 있으니까,

애써 다 참을 필요는 없어.

싸우기 라도 했니?

까다로운 아이야 ....

후련은 커녕

오히려 말해 놓고 후회만 하고....

짜기여요~

스스로 잘 알고 있으면서....

그럴 수 없는 성격인 줄...

'부아가
치밀어서'

'상처
주려고
말했어'.

소름
끼쳐,

여기는 밥 먹는 곳이 아니란다.

나도 오늘 여기서 먹어야지.

철썩

고구마이 빵

어?

웬일이야...?

어휴...

됐어...

너도 먹을래?

투웅

미나토는 있지....

신발장에서 너희 얘기하는 거... 잠깐 봤거든.

아.

오늘 있잖아.

아침에

으응...

164

같은 학년의
분위기를.

뭐?

…….

나도
미나토도
중학교 때부터
너를
알고 있었어.

아니!!

'도와줘' 라는 말을 무시한 거야?

너는…

…….

박하 맛도 괜찮아?

나도.

고마워

왜 나만?

…사탕 먹을래?

……

그럼,

너는 아무 잘못 없어.

......

...라고.

아….

처음에

이름은
말 안 해서

미키가 얘기했던
'친구'가
너라는 걸
알아차리지
못했지만.

으... 음....

두 사람한테...

미키가

내 이야기를...?

머어~엉

너랑 모르는 사이인 우리가 고민 털어놓기도 쉬웠을 테고..

그래도 미키한테 화내지 마....

그때 너를 몹시 걱정했거든.

아

응...알아.

미키한테 말하지 않은 이유는

미키가 그렇게 생각했구나....

....

나 있지!!!

다음 시합에서 1학년 중에 나 혼자만 유니폼 받았어!!!!

동아리 활동을 열심히 하는 미키와

……

믿지
않는다
거나

기대기
싫다거나

그런 이유가
아닌데….

야

그렇
구나.

미나토도
알게 모르게
눈치챈 게
아닐까?

미키와
코유의
대화를
보고

야~
아마미야!

!

으악!

......

여기~.

맞았냐?
미안.

던져 줘~.

운동장

조심 조심

아마미야 화났어 ...?

뭐야?

어,

?

......

뭐가?

...어?

바보

미나토는 안 웃으면 눈빛이 날카로워서 그래.

평소에 화 안 내는 녀석이 화내면 괜히 더 무섭잖아

아~ 깜짝 놀랐네. 아마미야 화난 줄 알았어....

미안! 멍 때리고 있었어.

휴

하 하

183

제24화 | 물과 기름

이 아이와의 대화는

언제나 조금

어색하다.

지금까지 나는

누구와도 이야기할 수 있는 사람이라고 생각했지만,

아, 방금 전에 아침 연습 끝났거든.

무슨 얘길 하지~?

아, 참. 어제 이가라시 왔...

...었는데....

말을 하면

할수록

진흙탕에
가라앉는
느낌이야.

어?

내가…

이런 사람
이었나?

···소름
끼쳐.

....

요우타.

나...

뽈 레 없이 절근하지 마!!!

코웅한테

...미나토 방금...

....

왜, 뭔데?

미키한테 죽을지도 몰라.

뭐?

왜
남의 뒤를
캐고 다녀?

…그건

이가라시랑
말한 거
말인가?

맞다고
쳐도
…

그렇게까지
화낼
일인가?

미키한테도
된통 혼났고.

그건
오만이야.

네가 옳다고
여기는 생각을
코융한테
강요하지 마.

나는
여기저기에서
혼만 나네.

모르겠어.

그 반대는
안 되나?

'내가
싫은 짓은
남한테도
하지 마라'
라는 말은
있는데,

분명

…그냥.

가치관도
생각도.

너무
다른 거야.

내가
뭘 하려고 해도
달갑지 않은 건가?

…바로

이 '뭔가 해 주자' 라는 생각이 '오만'인가?

그런 게야?

미키

......

…그런데,

휘~웅

내 생각이 '오만'이라면 걔도….

파앙

이얍

'좋아하는 사람'과

'그렇지 않은 사람'을

구분하고 있잖아.

주위 사람들이 피하는 게 아니라,

남을 거부하는 유형.

처음부터 본인이

그리고

나는

'걸러진 쪽'.

…….

껌 껌 …

아.

뭔가 좀 화나네.

?

으악

퍼 억

…그래.

……

그래.

그러자.

이제

엮이지 말자.

서로 좋을 게 없어.

전혀 신경 쓸 거 없어.

음… 화장실…?

그렇게 오래?

요우타, 점심시간에 어디 갔었어?

주우욱

똥

땡

딩

동

Goodluck

🔍 **사과할 타이밍**

사과하기 좋은 타이밍이란 게 있나?

아냐.

사과할 기회가 없었네....

...... 학교 끝날 때까지

음....

내일이라도 기회가 있으

면...

......

역시

'그 표정'
이야.

늘 보던
표정.

곁을
주지 않는
상대에게
내비치는

'자기만족'.

저쪽한테는
'민폐'.

전부 다
나 혼자만의
착각이자

때가 되면
친해질 수
있을 거라고
생각했는데.

처음
부터

얼음 성벽 2 / END

Thank you!

다음 편도 잘 부탁드립니다 ☺

B아햇R.

학산코믹스
10570

얼음 성벽 ②

2024년 8월 15일 초판인쇄
2024년 8월 25일 초판발행

저　　자 : Kocha Agasawa
역　　자 : 박연지 김시내
발 행 인 : 정동훈
편 집 인 : 여영아
편집책임 : 황정아 김은실 노혜림
미술담당 : 김진아
발 행 처 : (주)학산문화사

서울특별시 동작구 상도로 282 학산빌딩
편집부 : 828-8988, 8838 FAX : 816-6471 영업부 : 828-8986
1995년 7월 1일 등록 제3-632호
http://www.haksanpub.co.kr

ISBN 979-11-411-3860-8 07650
ISBN 979-11-411-3718-2(세트)

값10,000원